KU-538-397

L'AGE DE GLACE 4
LA DÉRIVE DES CONTINENTS

L'édition originale de cet ouvrage a paru
chez HarperCollins sous le titre :
Ice Age™: Continental Drift: The Junior Novel

Hachette Livre, 43 quai de Grenelle, 75015 Paris.

Traduction française : Natacha Godeau
Conception graphique : Laurent Nicole
Mise en page : Audrey Thierry

hachette
JEUNESSE

MANNY
Ce mammouth est aussi gentil que gros.
Il ne ferait pas de mal
à une mouche préhistorique...
Son seul problème dans la jungle :
Sid !

Le tigre aux dents de sabre n'aime pas qu'on lui dise ce qu'il doit faire... Diego a été habitué à être le roi de la savane et, même chez les dinos, il n'est pas question que ça change !

SID

Sid est un ami fidèle... et même un peu trop ! C'est un vrai pot de colle qui aime ABSOLUMENT tout le monde. Ce paresseux est incapable de rester seul dans la jungle sans s'attirer des ennuis.

Ellie n'est pas une mammouth comme les autres : avant de rencontrer Manny, elle se prenait pour un opossum... Avec elle, on ne risque pas de s'ennuyer !

CRASH ET EDDIE

Ces deux frères opossums sont complètement déjantés !
Ils sont inséparables... surtout quand il y a une bonne blague à faire !

CAPTAIN GUTT

Cet orang-outan préhistorique, Captain Gutt, est un méchant et brutal pirate qui se prend pour le maître des mers. Lorsque Manny et ses amis volent son bateau, sa colère ne connaît aucune limite : il est déterminé à retrouver Manny et à se venger.

LA GRANDE PAGAILLE

Un grondement terrible retentit dans la vallée. Manny s'éveille en sursaut.

— Tu as entendu ça, Ellie ? demande-t-il en levant la tête.

— Oui, mais c'était loin d'ici, répond sa compagne d'une voix ensommeillée.

Le mammouth se tourne alors vers la branche où leur fille dort de la même

manière que sa mère – c'est-à-dire suspendue dans un arbre, tête en bas, à la façon des opossums –, et il l'appelle :

— Pêche ? Tu vas bien ?

Mais l'adolescente n'est pas là. Aussitôt, il panique.

— Personne ne se lève à l'aube, à son âge ! Qu'est-ce qu'elle fabrique ?

— Tu te prends pour un gardien de prison, ou quoi ? se moque Ellie.

Manny préfère l'ignorer. Il flanque un grand coup de trompe dans le tronc d'arbre, secouant ainsi la branche de Crash et Eddie.

— Vous deviez surveiller Pêche, espèces d'oncles à la noix ! crie le mammouth aux opossums.

Crash cligne des yeux, encore tout endormi :

— Pêche ? Oh, je le jure, je ne suis au courant de rien ! Je ne l'ai pas vue filer discrètement il y a un quart d'heure.

— Moi non plus, renchérit Eddie. Je ne l'ai pas vue partir avec Louis aux chutes d'eau.

Manny s'affole.

— Les chutes d'eau ? Ce repaire de jeunes délinquants !

— Du calme, c'est juste le rendez-vous favori des gamins, souffle Ellie.

— Tu parles ! gronde le mammouth. Ensuite, Pêche voudra un piercing et puis…

Ellie l'interrompt :

— Tu en fais trop, Manny. Notre fille grandit, voilà tout.

— Et c'est bien ce qui m'inquiète !

Entre-temps, du côté des chutes d'eau…

— Youhou ! Essaie, Louis !

Pêche se balance de branche en branche en riant. Son ami la suit en creusant le sol. Il bougonne :

— Je suis un cochon-taupe, moi. J'ai mieux à faire que risquer ma vie pour que tu rejoignes ton mignon mammouth !

— Ethan n'est pas juste mignon, proteste Pêche. Il est canon ! Et je… Papa ?

Manny vient de surgir devant elle, l'air furieux. Elle s'empresse :

— Ne te fâche pas...

— Tu sais ce que je pense des chutes d'eau, jeune fille. Allez, on rentre !

Pêche lui emboîte le pas en soupirant. Louis les regarde s'éloigner, hésitant à les suivre, quand un autre grondement ébranle la vallée. Le cochon-taupe, apeuré, plonge immédiatement dans son tunnel !

Un peu plus loin, Diego, l'orgueilleux tigre aux dents de sabre, ressent lui aussi la secousse.

Il rugit :

— Je ne te crains pas, Mère Nature ! Je suis prêt à faire face à n'importe quel cataclysme que tu m'enverras !

Et *paf !* une luge pleine de paresseux criards le renverse ! Diego se cramponne à l'avant du véhicule surchargé qui l'emporte maintenant à toute vitesse. À bord, une femelle paresseux déclare :

— Je crois qu'on arrive !

— Tant mieux, Eunice ! réplique son mari. Car je viens de perdre la barre de direction !

La luge décolle au-dessus du sol. Eunice hurle :

— Attention, Milton !

Trop tard ! Ils heurtent un rocher de plein fouet. L'impact projette Diego à l'arrière, contre deux autres membres de la famille et une grand-mère paresseux retenue par des lianes. Puis la luge reprend sa course folle. À cet instant, au bout du sentier, Ellie accueille Manny et Pêche qui viennent de rentrer, inconscients du danger qui approche. Afin d'éviter la collision, Diego, emmêlé dans les lianes, agrippe un tronc d'arbre au passage, et la luge freine à quelques pas de Pêche, éjectant la famille de paresseux… à la tête de Manny !

— Dégagez de ma fourrure ! grogne le mammouth, hors de lui.

— Lequel vais-je dévorer en premier ? ironise Diego, très énervé.

Le bruit interpelle Sid qui se précipite sur les lieux du crash. En reconnaissant les paresseux, il s'exclame, ému :

— Papa ! Maman ! Oncle Fungus ! Marshall ! Mémé ! Je le savais bien, que vous ne m'aviez pas abandonné !

— Si, on t'a bien abandonné, corrige sèchement son frère Marshall.

— Mais on a beaucoup pensé à toi, affirme sa mère. Pas vrai, Milton ?

— Ouais, même qu'on s'est dit que tu voudrais revoir Mémé. Tu pourrais la conduire à ta grotte pour qu'elle y fasse sa sieste ?

Sid sait bien que Mémé a mauvais caractère mais, malgré tout, il accepte gaiement. À peine s'est-il éloigné avec elle que Milton s'esclaffe :

— Youpi ! Bon débarras !

Et toute la famille paresseux remonte rapidement sur la luge pour repartir !

— Attendez ! crie Manny. Vous ne pouvez pas faire ça à Sid !

— Désolé, mon gars, mais il y a du grabuge par chez nous. On déménage

vers l'intérieur du pays, et Mémé nous retardait ! À plus !

Diego les regarde disparaître, au loin. Il soupire :

— Voilà qui explique mieux les troubles mentaux de Sid...

Quand Sid réalise que son horrible famille s'est servie de lui, il est déçu, bien sûr, mais pas surpris. Et puis, avec Mémé à surveiller, il n'a pas vraiment le temps de se lamenter ! D'ailleurs, elle a filé quelque part sans prévenir, et Sid et ses amis la cherchent partout. Ils sont d'autant plus inquiets que la terre continue de gronder bizarrement. En scrutant l'horizon, Manny surprend Pêche qui s'éclipse à nouveau en compagnie de Louis. Le mammouth sent la colère l'envahir... Puisque sa fille retourne aux chutes d'eau en dépit de son interdiction, elle va voir de quel bois il se chauffe !

CHAPITRE 2

À LA DÉRIVE

— Regarde, Louis ! C'est lui, Ethan !

Du haut de la colline, Pêche admire le jeune mammouth qui s'amuse plus bas avec ses copains. L'un d'eux, un élan, se rue sous la vertigineuse cascade d'eau glacée, lorsqu'un geyser inattendu le propulse dans les airs. L'élan retombe lourdement à terre.

Ethan explose de rire.

— Il est trop top ! glousse Pêche, l'œil brillant. Allez, je vais lui parler. Je suis comment, Louis ? Montrable ?

— Oh, bien plus que ça ! réplique le petit cochon-taupe en la couvant d'un regard amoureux.

Pêche lui sourit, rassurée, puis part à la rencontre d'Ethan en longeant le sommet des chutes d'eau. Soudain, elle perd l'équilibre, glisse jusqu'au bas d'un toboggan gelé et atterrit droit sur Ethan, stupéfait.

— Pardon, bredouille-t-elle, rouge de confusion, ses défenses enchevêtrées dans celles du jeune mammouth.

Tous deux tentent en vain de se dégager, quand Manny intervient brusquement :

— Je dérange ?

Et, sans leur laisser le temps de répondre, il les sépare rapidement en menaçant Ethan :

— Tu ne t'approches plus de ma fille, compris ?

Il se retourne ensuite vers l'adolescente, toujours furieux :

— Quant à toi, Pêche, tu es privée de sorties !

Les amies mammouths d'Ethan, très jalouses de Pêche, s'en donnent aussitôt à cœur joie :

— La honte ! Vous avez vu ça ?

— Ça craint un max ! En plus, sa mère a été élevée par des opossums… C'est la crise !

Pêche est folle de rage. Elle quitte les chutes d'eau d'un pas déterminé et fulmine contre son père tout le long du chemin :

— Comment as-tu osé me traiter ainsi devant tous mes copains ?

— Tu m'as désobéi, Pêche. J'essaie de te protéger, je suis ton père !

— Eh bien, j'aurais préféré que tu ne le sois pas, tiens ! s'égosille-t-elle toujours en arrivant à la maison.

Ellie, qui les a rejoints, fronce les sourcils.

— Elle ne le pense pas, Manny, affirme-t-elle au mammouth peiné.

Puis elle s'adresse à sa fille sur un ton apaisant :

— Tu sais, Pêche, ce n'est pas non plus la fin du monde, cette histoire !

Là-dessus, un autre grondement résonne. Sid se frotte l'estomac en s'excusant, mais Diego grommelle :

— Je crains que ce ne soit pas ta faute, cette fois-ci…

Le sol se met alors à vibrer sous leurs pattes dans un vacarme assourdissant. Puis la glace se fendille brusquement entre Manny et sa famille.

— Qu'est-ce qui se passe ?

— Aucune idée, Ellie, souffle le mammouth. Ne bouge pas, je te rejoins.

Il avance d'un pas, et voici que la fissure s'élargit au point d'arracher tout un bloc de glace à la côte !

— Ellie !

Manny est emporté. Il s'accroche à sa femme par la trompe, mais la force phénoménale du courant entraîne l'iceberg vers le large, et Manny finit par lâcher prise. Sans hésiter, Sid et Diego bondissent sur le bloc de glace qui part à la dérive. Un gouffre de vagues furieuses les sépare désormais du continent.

— Ellie ! Pêche ! Tout s'écroule, sauvez-vous ! s'époumone le mammouth. Trouvez le pont de pierre, c'est le seul endroit qui vous permettra de passer de l'autre côté du continent, à l'intérieur des terres !

Ellie est désespérée, et Pêche est

en larmes de s'être disputée avec son père. Malgré tout, elles partent au triple galop rassembler les animaux...

— Tôt ou tard, je vous retrouverai ! promet Manny dans un dernier cri.

Peu après, au fil du courant...

Manny regarde autour de lui en rouspétant. Il n'y a rien d'autre sur le bloc de glace qu'un bouquet d'arbres et quelques rochers.

— Ellie et Pêche ont besoin de moi ! se lamente-t-il. Comment rentrer ?

— Ne t'inquiète pas ! réplique Sid. Ma mère m'a dit un jour qu'une mauvaise chose en cache toujours une bonne.

— Elle t'a dit ça avant de t'abandonner ? ironise Diego.

— Oui, mais ça ne change rien : chaque nuage noir dissimule un arc-en-ciel !

Le vent se lève justement. De gros nuages d'orage s'amoncellent et le tonnerre gronde. L'océan s'agite ; la houle ballotte l'iceberg à droite et à gauche ; des rouleaux massifs s'écrasent sur la glace. Des rafales soufflent désormais en tempête. Sid écarquille les yeux, terrorisé : une trombe d'eau

géante déferle sur eux et projette l'iceberg à des dizaines de mètres de haut ! Manny, Sid et Diego se cramponnent de toutes leurs forces à leur bateau de fortune. Ils traversent la couche épaisse de nuages noirs quand Sid s'écrie :

— Hé, je vois un arc-en-ciel !

Mais déjà, le bloc de givre retombe violemment sur l'eau…

Pendant ce temps, dans la vallée, les animaux organisent leur fuite. Le sol continue de trembler, de bouger, de se soulever… L'orage tonne, il pleut à verse, le vent siffle. Un éboulement menace même d'emporter Louis, qui est sauvé de justesse par Pêche. La panique règne. À présent, le danger est imminent. La région s'effondre autour d'eux, il faut partir sans tarder. Ellie prend la tête des opérations.

— J'ai tellement peur pour papa ! gémit Pêche.

— On le reverra, ne t'en fais pas, tâche de la réconforter le fidèle Louis.

La tempête s'apaise enfin. Manny, Sid et Diego sont trempés jusqu'aux os, mais sains et saufs. Néanmoins, ils ne sont pas au bout de leurs surprises : ils découvrent que la grand-mère paresseux est à bord avec eux ; elle s'était endormie dans une vieille souche ! Brusquement, elle se jette à l'eau pour prendre son bain. Vite, Sid, Manny et Diego la repêchent… malgré ses plaintes incessantes !

Leur iceberg dérive pendant de longues heures sous le soleil ; les passagers commencent à divaguer lorsque Manny aperçoit un oiseau :

— Hourra, les gars ! Ça signifie que la terre est proche !

ATTENTION, PIRATES !

Ce que Manny n'a pas remarqué, c'est que l'oiseau marin en question porte un bandeau rouge de pirate ! Le volatile regagne à toute allure son bateau, un intimidant navire de glace :

— Captain Gutt ! Quatre naufragés sur un iceberg... On n'a qu'à les

cueillir ! lance-t-il à l'énorme orang-outan à poils longs, debout sur le pont.

— Quatre ? ricane alors le capitaine. J'adore ce genre de « délicieux » imprévu, Silas !

Diego plisse les yeux : une silhouette imposante se dessine à travers la nappe de brouillard. Il s'agit d'un navire de glace qui se dirige droit sur eux.

—Youpi ! chantonne Sid, surexcité. On vient nous sauver !

— Les rires de l'équipage ne me disent rien qui vaille... doute le tigre aux dents de sabre.

Tout à coup, une paire de grappins se fiche dans leur iceberg, le remorquant contre la coque du grand navire. Du haut du pont, une bande de marins inquiétants dévisage Manny et ses amis…

— Des pirates ! s'alarme Sid.

Parmi eux, un lapin à l'air cruel prend la parole. Impatient, il propose à ses compagnons :

— On les hache menu ?

— La ferme, Squint ! le rabroue une jolie tigresse au pelage blanc. On attend les ordres du capitaine !

À cet instant, l'orang-outan enjambe le parapet et descend auprès de Manny, sur le bloc de glace.

— Je me présente, Captain Gutt. Ces eaux grouillent de pirates. Vous avez de la chance d'être tombés sur nous ! s'esclaffe-t-il, ironique.

— Écoutez, on ne cherche pas les problèmes, réplique le mammouth. On veut simplement regagner le continent.

— Le continent ? grogne Gutt. À quoi bon ? Ce n'est plus qu'un champ de ruines, fragmenté en mille morceaux !

— Mais ma famille est là-bas et je…

Le pirate interrompt sèchement Manny.

— Ta famille ? Oh, c'est trop touchant ! Ben, j'espère que tu lui as fait tes adieux, à ta famille, parce qu'il n'existe aucun moyen de rentrer chez vous…

— Oh si, Captain ! intervient un éléphant de mer naïf. On peut passer par la Crique des A-Pics !

— Merci de nous le rappeler, M. Flynn, articule l'orang-outan, sarcastique, tout en lui écrasant la queue pour le faire taire.

Puis il se retourne vers Manny :

— Je réquisitionne votre iceberg !

Aussitôt dit, aussitôt fait : une batterie de canons sort de la coque du navire pirate, mettant en joue les quatre amis, tandis que Squint le lapin bombarde le mammouth d'étoiles de mer et que Raz le kangourou envoie des boulets de glace à la tête de Diego pour l'empêcher de détacher les grappins.

— Second Shira, attrapez-le ! ordonne Captain Gutt.

Et la belle tigresse blanche se précipite en travers du chemin de Diego qu'elle ligote en moins de deux, pendant que Flynn capture Sid. Manny n'a pas le temps de venir au secours de ses amis : Raz lui barre la route et Gutt en profite pour l'assommer.

Quand Manny s'éveille au son de l'accordéon de Flynn, il réalise qu'il est attaché à un mât du navire, tout comme Sid, Diego et Mémé. Captain Gutt lui propose alors un marché : s'allier à son équipage de boucaniers pour avoir la vie sauve ! Mais Manny refuse net.

— C'est hors de question. Personne ne m'empêchera de rejoindre ma famille !

— Parfait, marmonne l'orang-outan, vexé. Ta chère famille signe donc votre arrêt de mort à tous ! Second Shira, on est en surpoids, sur ce rafiot. Larguez du lest !

La tigresse hoche la tête et commande aux pirates d'installer la planche d'où devront plonger les condamnés à la noyade.

— Hé, je ne peux pas me baigner maintenant, je suis en pleine digestion ! se lamente Sid, le premier à devoir sauter.

Au même moment, Captain Gutt désigne Mémé.

— La femelle d'abord !

Et un sanglier féroce pousse celle-ci devant Sid :

— Mémé ! Non !

Manny doit agir. Il se débat pour se libérer de ses liens, en vain. Ses mouvements intempestifs font néanmoins bouger le pilier auquel est attaché Diego.

— Continue, Manny !

Le mammouth comprend immédiatement le plan du tigre aux dents

de sabre. Il pousse donc le pilier de toutes ses forces, et Diego, avançant, sectionne d'un coup de crocs les lianes du mât qui fixent celui-ci au pont. Le mât tangue d'un côté, puis de l'autre ; Manny est enfin capable de se redresser. Ni une, ni deux, Gutt dégaine son sabre afin d'affronter le mammouth, qui pare toutes les attaques grâce à ses longues défenses.

— Vas-y, Manny ! l'encourage Sid. Botte les fesses de ce macaque !

Le mammouth arrache le mât. Instantanément, le navire se scinde en deux et commence lentement à couler. Vaincu, Gutt jure solennellement de se venger de Manny. Puis les pirates se laissent porter par le courant. Au sein de l'équipage, seule Shira manque à l'appel. Et pour cause :

la tigresse albinos nage sans le savoir dans le sillage du minuscule bloc de glace sur lequel Manny, Sid, Diego et Mémé se sont réfugiés. La voyant soudain qui manque se noyer, Diego la hisse à bord de leur canot de fortune. Shira tempête :

— Je ne veux pas de votre aide, bande d'idiots !

— On t'a quand même sauvé la vie, minette ! réplique Diego.

— Ne me traite pas de minette ! interdit-elle dans un cri de rage.

— OK… minette !

Là-dessus, le tigre sourit, satisfait, mais Mémé grimace :

— Je vous préviens : s'ils s'embrassent, je vomis !

CHAPITRE 4

LA GRANDE ÉVASION

— Terre !

L'alerte de Manny interrompt une énième dispute des tigres. Une île se dessine dans le lointain, et tous se mettent à pagayer dans sa direction. Peu après, ils accostent la plage, et Shira prend ses pattes à son cou.

— Rattrape-la, Diego ! s'écrie Manny. Elle sait comment regagner le continent !

Le tigre aux dents de sabre s'élance à ses trousses. Il la plaque au sommet d'un pic rocheux et, dans la bagarre, ils roulent tous deux au bord du précipice. Diego aperçoit alors le bas de la falaise où le courant charrie de gros blocs de glace vers le large…

— La Crique des A-Pics ! devine-t-il.

Il distingue également une armée d'hyrax, de petits mammifères ressemblant à des marmottes, affairés tels des esclaves autour d'un chantier. Reconnaissant au même instant la voix autoritaire de celui qui les dirige à coups de fouet et d'insultes, Diego sent ses poils se hérisser : Captain

Gutt est sur l'île… occupé à achever la construction d'un nouveau navire ! Sans perdre une seconde, Diego ramène Shira et expose la situation à Manny.

Ce dernier a une idée : voler le nouveau bateau des pirates afin de repartir pour le continent. Mais d'abord, ils emprisonnent la tigresse dans le creux d'un tronc gigantesque : il ne faudrait pas qu'elle fonce avertir leurs ennemis de leur présence ! Ensuite, il leur faut trouver des renforts. Or, par chance, de petits hyrax curieux, cachés derrière les fourrés, les contemplent depuis un moment. Manny saute sur cette occasion inespérée ! Il décide de convaincre les rongeurs de combattre Gutt et

ses hommes à leurs côtés. Ainsi, ils libéreront leurs frères hyrax que le capitaine a capturés ! Manny est très convaincant dans ses explications... sauf que les petits rongeurs craintifs ne parlent pas le mammouth !

— Je peux essayer ? propose alors Sid.

Il vocalise, afin de s'éclaircir la gorge, et profère des borborygmes

ridicules avant d'exécuter une danse invraisemblable, au terme de laquelle il annonce :

— Les rongeurs acceptent le marché !

— Bravo ! s'exclame Manny. On délivre leurs copains et on s'approprie le navire !

— Super ! Tape-m'en cinq, mon vieux Fuzzy ! jette Sid au chef des hyrax.

Plus tard, ce soir-là, Diego apporte à boire à Shira. La tigresse captive est assoiffée. Elle accepte à contrecœur en grommelant :

— Tu es plutôt du genre sensible, pour un tigre aux dents de sabre…

— Moi ? s'indigne Diego, piqué au vif. N'importe quoi ! Je suis un prédateur impitoyable !

Manque de chance, Sid choisit ce moment précis pour passer lui offrir un collier de coquillages de sa composition. Diego ne sait plus où se mettre ! Essuyant les railleries de Shira, qui le soupçonne d'avoir été rejeté par les siens, il précise :

— Ce n'est pas ce que tu crois, j'ai choisi de quitter ma meute.

— Quel exploit, Princesse Guerrière ! se moque la tigresse. Moi aussi, je te signale, j'ai quitté les miens.

— Ah oui ? rétorque Diego, impressionné. N'empêche, la différence entre nous, c'est que je me suis trouvé une famille, une vraie, où chacun se soucie de l'autre. Toi, ton Captain Gutt, il ne te recherche même pas !

Le lendemain, une fois leur plan

bien rodé, Manny et ses amis passent à l'action. Il est temps : Shira vient juste de s'évader et court alerter Captain Gutt qu'ils sont sur l'île ! Ce dernier, furieux qu'elle se soit laissé capturer, la réprimande méchamment :

— Je t'avertis, Shira : tu élimines ce Diego. Et pas de quartier : c'est lui ou toi, compris ? Moi, j'ai un compte personnel à régler avec ce gros balourd de mammouth…

Puis il destitue la tigresse de son titre de Second et nomme le lapin Squint à sa place. Au loin, une corne de guerre retentit. Gutt se retourne :

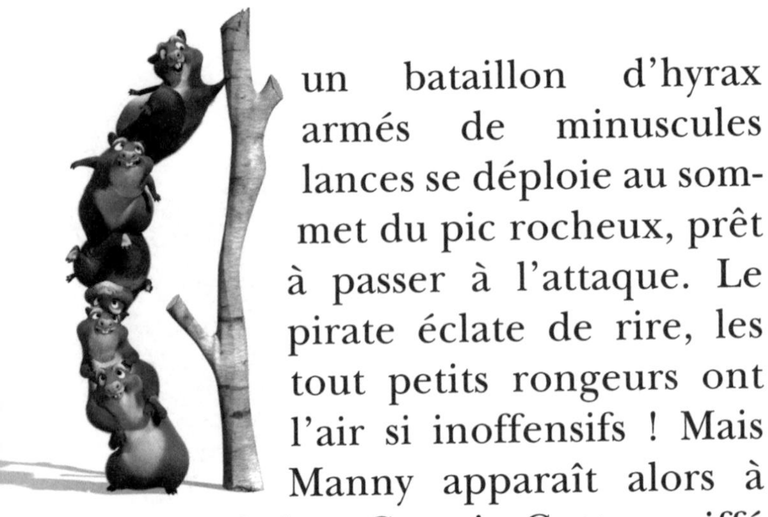

un bataillon d'hyrax armés de minuscules lances se déploie au sommet du pic rocheux, prêt à passer à l'attaque. Le pirate éclate de rire, les tout petits rongeurs ont l'air si inoffensifs ! Mais Manny apparaît alors à leurs côtés et Captain Gutt, assoiffé de vengeance, se lance sans réfléchir à l'assaut de la colline avec son équipage. Comme prévu, Diego en profite pour se faufiler hors de sa cachette, afin d'aller rapidement sur le chantier ouvrir les cages des hyrax esclaves. Ces derniers, reconnaissants, s'agrippent à lui : pas facile dans ces conditions de rejoindre le navire flambant neuf,

dont Sid et Mémé ont la charge de dénouer les amarres !

— Oh, miam, des baies ! s'exclame soudain le paresseux affamé devant un buisson. Une seconde, que j'en mange une ou deux !

— Non ! lui crie Diego en arrivant. Elles sont toxiques, tu vas être…

Trop tard : Sid s'écroule sur la rive, paralysé.

Au même moment, au sommet de la colline, Squint bondit sur la tête de Manny... et réalise que le mammouth n'est qu'un mannequin de branchages !

— C'est une diversion ! hurle Captain Gutt, fou de rage, pendant que le vrai Manny fonce vers le bateau. Ils vont s'emparer du navire !

Tous les pirates se ruent vers la plage à la poursuite de Manny. Ce dernier découvre

Sid, figé sur le sol et, soupirant de lassitude, le ramasse vite pour l'emmener à bord avec lui… Mais le bateau désamarré prend déjà le large entre les blocs de glace flottants !

Mémé et Diego suivent le mammouth au pas de course. Ils progressent d'un iceberg à l'autre. Captain Gutt tente de les arrêter en grimpant

sur le dos de narvals, ces espèces de licornes de mer armées d'une longue pointe sur le front. Mais Manny et les paresseux parviennent malgré tout à embarquer, alors que Shira retient maintenant Diego en arrière…

Chapitre 5

Alerte aux sirènes !

Diego la fixe du regard sans comprendre. Shira murmure :

— Je n'ai pas le choix.

— Ta vie t'appartient, proteste-t-il. Avec nous, tu serais en sécurité. On est une famille, on veille les uns sur les autres.

Tandis qu'ils discutent, Manny, la trompe enroulée autour d'un arbre,

sur la berge, tente de ralentir le navire afin que Diego puisse sauter à bord. Mais la tension est beaucoup trop forte !

— Diego ! Grouille, je lâche !

— Je t'en prie, Shira ! supplie alors le tigre aux dents de sabre. Viens avec moi !

La tigresse, convaincue, finit par acquiescer. Mais en réalité, elle laisse Diego bondir seul sur le bateau et reste en arrière afin de retarder les pirates et permettre aux quatre amis de leur échapper. Du navire qui s'éloigne, le tigre la regarde tristement : le sacrifice de Shira les a sauvés !

Ce qui, bien sûr, met Captain Gutt

hors de lui. Ni une, ni deux, il embarque son équipage sur un iceberg tiré par des licornes de mer et menace clairement Shira :

— Quand tout sera réglé, une peau de tigre ornera mon salon. Ce maudit mammouth m'a volé mon précieux bateau... et ta loyauté ! Pour ça, il mourra ! Mais avant, je m'emparerai à mon tour de ce qu'il a de plus cher au monde…

Pendant ce temps, sur le continent…

Les animaux poursuivent leur grand exode en direction du pont de pierre. Seuls Crash et Eddie ne semblent pas s'inquiéter du déplacement des plaques terrestres, au profond désespoir de Louis qui les savait certes stupides, mais pas à ce point-là !

— Bon, ben je vous laisse profiter de la fin du monde, soupire-t-il en partant à la recherche de Pêche.

La jeune mammouth a accepté la veille de marcher en compagnie d'Ethan et de sa bande de copains. Un canyon étroit ayant été creusé sur le chemin par les tremblements du sol, les adolescents y descendent sans hésiter, s'amusant de l'écho de leur voix. Ethan, Steffie et Katie demandent alors :

— Au fait, Pêche, tu n'es pas vraiment amie avec ce cochon-taupe de Louis, n'est-ce pas ?

Ils ont l'air si méprisant et Ethan la regarde avec une telle insistance que la jeune mammouth bégaie :

— Eh bien, euh… non, pas vraiment…

— Ah bon ? On n'est pas amis ? Ravi de le savoir !

Louis venait à peine de surgir de son tunnel. Blessé, il y replonge immédiatement, laissant Pêche accablée de remords.

— Grillée ! la raille Steffie.

— T'inquiète, Pêche. Oublie ce loser de Louis, tu es des nôtres, à présent ! lui souffle Ethan.

Là-dessus, les parois du canyon commencent à s'abattre sur eux. Pêche panique, mais ses copains trouvent ça super cool. Ils s'en sortent indemnes par miracle… et Ethan s'esclaffe :

— Relax, Pêche ! Amuse-toi un peu ! C'est déjà assez moche pour toi d'avoir une famille à moitié opossum…

C'en est trop pour la jeune mammouth. Elle s'est complètement trompée sur Ethan, et au risque de se trahir elle-même, en plus !

— Il n'y a rien de moche à appartenir à une famille d'opossums ! riposte-t-elle. Oui, j'aime dormir suspendue la tête en bas, et si être un mammouth « normal », c'est être comme vous, bande de génies, pas

étonnant que notre espèce soit en voie d'extinction !

Et plantant là Ethan et ses copains, elle rejoint sa mère, plus haut dans la caravane…

Manny navigue en paix avec ses amis sur le navire pirate. L'effet toxique des baies s'est finalement

dissipé et Sid, soulagé, n'arrête plus de parler pour ne rien dire.

— Je le pousse par-dessus bord, et vous témoignerez que c'était un accident, bougonne Mémé, à bout de nerfs.

Manny opine du chef, histoire de plaisanter. Mais Diego fait les cent pas sur le pont, la mine soucieuse. Le mammouth le taquine :

— Les pirates sont loin, on rentre au bercail, et toi, tu souffres du fameux grand A… comme amour !

— Tu as Shira dans la peau, avoue-le ! renchérit Sid.

— Arrêtez de dire des bêtises ! ment Diego, gêné de leurs moqueries puériles.

Ils se séparent en riant pour la nuit mais le tigre, insomniaque, se rend

à la proue du bateau. Soudain, une voix douce émerge du brouillard :

— Diego ! Je voulais t'accompagner, tu sais !

— Shira ? s'étonne-t-il en distinguant la silhouette de la tigresse, sur un rocher.

Sid s'approche aussi mais aperçoit, lui, une femelle paresseux. Elle susurre, enjôleuse :

— Sid ! J'adore les paresseux à l'hygiène douteuse !

Attirée par le bruit, Mémé les rejoint en bâillant. Un paresseux musclé lui fait signe.

— Viens, Mémé !

À son tour, Manny s'éveille. Intrigué, il se rend à la proue en grondant :

— Vous ne voyez pas qu'on va se fracasser sur ces rochers ? Je…

Il s'interrompt, car deux mammouths apparaissent dans le brouillard : Ellie et Pêche !

— On a tellement besoin de toi, papa !

— Tu as toujours raison sur tout, mon chéri !

À ces mots, Manny fronce les sourcils. Jamais Ellie ne lui dirait une chose pareille ! Comprenant brusquement que des sirènes sont en

train d'essayer de les séduire pour les faire s'échouer sur les rochers, le mammouth se bouche les oreilles et reprend la barre. En moins de deux, il rétablit le cap tandis que les sirènes, privées de leurs proies, poussent de longs hurlements de dépit...
Le matin suivant, Mémé se penche par-dessus la rambarde du bateau et appelle :

— Précieuse ! Au pied, ma belle !

— Oh non ! soupire Sid. Mémé remet ça avec son animal imaginaire... Ça fait au moins trois fois qu'elle me fait le coup, elle perd totalement la boule !

— Gare au choc, les amis ! grogne alors la vieille femelle paresseux.

Manny redresse la barre, évitant de justesse les dangereux morceaux de bois et de glace qui flottent sur l'eau. Puis, levant la tête, il s'esclaffe :

— Le continent ! On est de retour !

Cependant, leur joie retombe dès qu'ils réalisent la terrible vérité : leur territoire est dévasté ; la côte, rayée

de la carte ; le pont de pierre, qui reliait les deux continents, effondré dans la mer. Il n'y a désormais plus aucun moyen de franchir la bande de terre pour passer de l'autre côté. D'ailleurs, il n'y a même plus d'autre côté...

— Ellie ! Pêche ! s'époumone Manny, fou d'angoisse.

Chapitre 6

LE NOUVEAU MONDE

— Papa !

Manny sent son cœur cabrioler dans sa poitrine ! Il s'empresse de mettre le cap vers le nuage de brume d'où provient la voix de sa fille… et se retrouve face à Captain Gutt ! L'orang-outan détient en effet l'adolescente en otage, un couteau sous sa gorge, ainsi qu'Ellie, ligotée derrière lui.

— Alors, gros balourd ? Que penses-tu de mon second nouveau navire ? Il te plaît aussi ? ricane-t-il en désignant l'iceberg sous ses pattes.

Puis le capitaine ordonne aux pirates d'aborder le bateau du mammouth à l'aide de puissants grappins.

— Maintenant que tu m'as piégé, libère-les ! hurle Manny.

— Ce n'est pas le plan, rétorque l'orang-outan. Tu m'as tout pris, je te prends tout.

De rage, le mammouth veut le charger, mais l'équipage de Captain Gutt réagit rapidement, l'immobilisant au lasso, quand, tout à coup, une voix s'élève :

— Ne touchez pas à Pêche !

À la surprise générale, Louis vient de monter courageusement à bord en compagnie de Crash et d'Eddie. Pêche tremble pour son ami. Captain Gutt éclate de rire :

— Qui a invité cet avorton ? Parfait : on va se battre en duel !

À défaut d'être costaud, Louis est rusé. Il creuse dare-dare un tunnel

sous la glace et en ressort subitement pour écraser la patte du pirate qui bondit de douleur et lâche la jeune mammouth.

Entre-temps, Manny a enfin réussi à se libérer. Voyant ça, Gutt oublie son mal et se précipite sur lui. Mais Diego saute alors en travers de son chemin, servant ainsi de rempart au mammouth. Quel combat ! Même Sid et Mémé s'élancent à la rescousse afin d'affronter les membres de l'équipage.

— Précieuse ! appelle encore la grand-mère.

Soudain une baleine gigantesque surgit des flots ! Sid n'en revient pas ! Ainsi, Mémé n'est pas si dingue… sauf qu'elle s'engouffre dans son énorme gueule !

— Tu attends quoi, gamin ? crie Mémé.

Et Sid, sans trop savoir pourquoi, la rejoint docilement juste avant que la baleine ne plonge…

De son côté, Shira s'occupe de délivrer Ellie, sur l'iceberg de Gutt.

— Espèce de traîtresse ! crache Squint en se ruant sur la tigresse blanche.

Sur quoi, Précieuse émerge de nouveau des vagues, Mémé sortant de son évent, Sid juché sur ses épaules.

— Ça s'annonce mal ! déclare-t-il, voyant ses amis cernés par les pirates.

— Dans ce cas : feu ! commande Mémé.

Et la baleine de souffler un puissant jet d'eau par son évent, les paresseux ballottés au sommet. Ils dégomment ainsi un à un les membres de l'équipage, bien que le capitaine évite la manœuvre offensive. Précieuse s'enfonce une nouvelle fois dans les vagues, lorsqu'Ellie s'égosille :

— Au secours !

Ayant aperçu Squint et Shira en train de se battre, Gutt a foncé vers la mammouth et la menace à présent de ses longues griffes acérées. Manny est paniqué :

il ne peut rien faire pour elle, l'orang-outan a ôté la planche qui reliait le navire à l'iceberg ! Alors, sans hésiter, Pêche passe à l'action. Elle se jette des cordages, s'agrippe au mât par la trompe et se balance ainsi de mât en mât comme un opossum, jusqu'à heurter Gutt qui perd l'équilibre, sonné.

— Elle a réussi ! s'exclame Manny, admiratif, en utilisant un mât comme pont pour rejoindre sa famille.

Hélas, la colline en surplomb, près d'eux, commence à s'effondrer. Vite, Ellie et Pêche partent en direction du navire pirate. Mais Captain Gutt coupe la route à Manny, et la colline, s'écroulant brutalement sur elle-même, brise l'iceberg en deux, isolant définitivement Manny et Gutt

du reste du groupe… Tandis que leur bloc de glace est précipité dans les courants mortels, le pirate et le mammouth combattent avec férocité. Finalement, d'un violent coup de pied, Manny déstabilise l'orang-outan ; il le frappe ensuite d'un magistral revers de trompe, l'envoyant valdinguer jusqu'aux rochers des sirènes… qui séduisent sans mal le terrible pirate. Manny a gagné ! Il

aurait bien crié victoire, mais le bloc de glace prend soudain un virage serré, projetant son unique passager dans le vide… Heureusement, contre toute attente, Précieuse refait alors surface, interceptant juste à temps le mammouth dans sa gueule.

— Mission accomplie, Mémé ! s'enorgueillit Sid.

Et la baleine reconduit ainsi le mammouth au navire pirate, où les animaux lui réservent un accueil triomphant.

— Papa ! s'écrie Pêche en galopant au devant de lui.

— Je te l'avais bien dit que ton père ne nous abandonnerait jamais, remarque Ellie avec fierté.

— Jamais ! confirme Manny.

Puis, se tournant vers les paresseux

que Précieuse vient de recracher sur le pont givré :

— Tu n'as rien d'un loser, Sid. Au contraire, tu es un vrai héros !

— Vous aussi, Mémé ! ajoute Diego.

Là-dessus, Shira avance d'un pas timide. Elle murmure :

— Tu m'acceptes toujours dans ta famille ?

— Plutôt deux fois qu'une ! réplique le tigre amoureux.

Pêche se penche alors sur Louis.

— Merci, Louis. Ce que tu as fait pour moi, c'est…

— C'est ce que font les vrais amis, termine le cochon-taupe en souriant.

Précieuse traverse paisiblement l'océan, le navire de glace en remorque. La dérive des continents ayant détruit le territoire de Manny et des siens, ces derniers sont contraints de migrer vers un Nouveau Monde : l'île luxuriante où les hyrax ont élu domicile. Bientôt, la chaîne de montagnes enneigées se dessine à l'horizon. Puis ce sont les cimes des arbres touffus. Les

plaines verdoyantes. Les fleurs multicolores. Enfin, le bateau accoste au milieu de chants d'oiseaux exotiques… et d'une nuée d'hyrax venus les accueillir à bord de leurs mini-planeurs végétaux ! Fuzzy s'élance à la rencontre de Sid, qui le salue de leur petite danse rituelle, tandis que les autres rongeurs se jettent avec adoration au cou de Diego.

— Un prédateur impitoyable, n'est-ce pas ? le taquine Shira, amusée.

Pêche et Louis écarquillent des yeux émerveillés.

— Oh là là ! Trop hâte d'explorer cet endroit !

— Hep, vous deux ! rugit soudain Manny.

Pêche grimace. Ils n'ont même pas débarqué que son père se montre déjà sévère !

— Amusez-vous, surtout ! recommande-t-il alors, au vif étonnement de l'adolescente. Profitez de votre liberté et soyez de retour au coucher du soleil !

— Une heure après ? négocie Pêche.

— D'accord, cède Manny. Mais pas une demi-seconde de plus !

La jeune mammouth sourit.

— Promis, papa. Je t'aime !

Là-dessus, Ethan et sa bande, un peu honteux, présentent leurs excuses à Louis, puis vont se balader tous ensemble, réconciliés.

— Pêche n'est plus une enfant, chuchote Manny en la regardant s'éloigner.

— Non, en effet. Et tout ira bien pour elle… comme pour toi ! affirme

Ellie avec douceur.

Dans son coin, Mémé hoche la tête.

— Tu sais quoi, Sid ? lance-t-elle. Tu t'es dégoté une chouette famille, mon gars !

Elle lui tend alors un kiwi et réclame :

— Tiens, pré-mâche ça pour moi !

— Inutile, Mémé !

Le paresseux, forcé depuis des jours de mastiquer la nourriture de sa grand-mère édentée, a décidé de contre-attaquer en lui fabriquant un dentier… avec des dents de piranhas !

« Ça lui donne un drôle d'air, à Mémé, admet-il tout bas lorsqu'elle les enfile. Mais elles font quand même l'affaire ! »

Exactement comme deux paresseux bizarres... au milieu d'un groupe d'amis très chers !

FIN

TU VEUX LIRE D'AUTRES AVENTURES DE MANNY, SID ET DIEGO ?

RETROUVE LES ROMANS DES TROIS PREMIERS FILMS... EN BIBLIOTHÈQUE ROSE BIEN SÛR !

Pour tout savoir sur tes héros préférés, fonce sur le site

www.bibliotheque-rose.com

L'AGE DE GLACE 3
LE ROMAN DU FILM

TABLE

hachette s'engage pour l'environnement en réduisant l'empreinte carbone de ses livres. Celle de cet exemplaire est de :

400 g éq. CO_2

Rendez-vous sur www.hachette-durable.fr

Photogravure Nord compo – Villeneuve d'Ascq

Imprimé en Roumanie par G.Canale & C. S.A
Dépôt légal : juin 2012
Achevé d'imprimer : septembre 2012
20.20.3042.7/03– ISBN 978-2-01-203042-8
Loi n°49-956 du 16 juillet 1949
sur les publications destinées à la jeunesse